在深入推动长江经济带发展座谈会上的讲话

（2018年4月26日）

习 近 平

人 民 出 版 社

在深入推动长江经济带发展座谈会上的讲话

（2018 年 4 月 26 日）

习 近 平

这次座谈会是我主持召开的第二次长江经济带发展座谈会。上一次是 2016 年 1 月在长江上游的重庆召开，这一次放在长江中游的武汉召开。

推动长江经济带发展是党中央作出的重大决策，是关系国家发展全局的重大战略，对实现“两个一百年”奋斗目标、实现中华民族伟大复兴的中国梦具有重要意义。

总体上看，实施长江经济带发展战略要加大力度。这是我这次调研和召开座谈会的目的。这几天，我先后到宜昌、荆州、岳阳、武汉以及三峡坝区等地，考察了企业转型发展、化工企业搬迁、非法码头整治、污染治理、河势控制和护岸工程、航道治理、湿地修复、水文站水文监测工作等方面的情况，还到乡村、企业、社区等地作了调研，沿途听取了湖北、湖南有关负责同志关于本省参与长江经济带发展的情况汇报。刚才，又听取了国家发展改革委、生态环境部、交通运输部、水利部负责同志和部分省市负责同志的发言，韩正同志也作了讲话。下面，结合调研情况和同志们的发言，我就3个问题讲点意见。

第一个问题：全面把握长江经济带发展的形势和任务

2016年1月5日，我在重庆主持召开的推动长江经济带发展座谈会上强调，长江是中华民族的母亲河，也是中华民族发展的重要支撑；推动长江经济带发展必须从中华民族长远利益考虑，把修复长江生态环境摆在压倒性位置，共抓大保护、不搞大开发，努力把长江经济带建设成为生态更优美、交通更顺畅、经济更协调、市场更统一、机制更科学的黄金经济带，探索出一条生态优先、绿色发展新路子。

两年多来，推动长江经济带发展领导小组办公室会同国务院有关部门、沿江省市做了大量工作，在强化顶层设计、改善生态环境、促进转型发展、探索体制机制改革等方面取得了积极进展。一是规划政策体系不断完善，《长江经济带发展规划纲要》及10个专项规划印发实施，超过10个各领域政策文件出台实施。二是共抓大保护格局基本确立，开展系列专项整治行动，非法码头中有959座已彻底拆除、402座已基本整改规范，饮用水源地、入河排污口、化工污染、固体废物等专项整治行动扎实开展，长江水质优良比例由2015年底的74.3%提高到2017年三季度的77.3%。三是综合立体交通走廊建设加快推进，产业转型升级取得积极进展，新型城镇化持续推进，对外开放水平明显提升，经济保持稳定增长势头，长江沿线

11 省市的地区生产总值占全国比重超过了 45%。四是聚焦民生改善重点问题，扎实推进基本公共服务均等化，人民生活水平明显提高。

在肯定成绩的同时，我们也要清醒看到面临的困难挑战和突出问题。

一是对长江经济带发展战略仍存在一些片面认识。两年多来，各级领导干部思想认识不断深化，但也有些人的认识不全面、不深入。有的认为共抓大保护、不搞大开发就是不发展了，没有辩证看待经济发展和生态环境保护的关系。有的仍然受先污染后治理、先破坏后修复的旧观念影响，认为在追赶发展阶段“环境代价还是得付”，对共抓大保护重要性认识不足。有的环境治理和修复项目推进进度偏慢、办法不多，甚至以缺少资金、治理难度大等理由拖延搪塞。这反映出一些同志在抓生态环境保护上主动性不足、创造性不够，思想上的结还没有真正解开。

二是生态环境形势依然严峻。流域生态功能退化依然严重，长江“双肾”洞庭湖、鄱阳湖频频干旱见底，接近30%的重要湖库仍处于富营养化状态，长江生物完整性指数到了最差的“无鱼”等级。沿江产业发展惯性较大，污染物排放基数大，废水、化学需氧量、氨氮排放量分别占全国的43%、37%、43%。长江岸线、港口乱占滥用、占而不用、多占少用、粗放利用的问题仍然突出。流域环境风险隐患突出，长江经济带内30%的环境风险企业位于饮用水源地周边5公里范围内，生产储运区交替分布。干线港口危险化学品年吞吐量达1.7亿吨、超过250种，运输量仍以年均近10%的速度增长。同时，出现了一些新问题，比如固体危废品跨区域违法倾倒呈多发态势，污染产业向中上游转移风险隐患加剧，等等。

三是生态环境协同保护体制机制亟待建立健全。统分结合、整体联动的工作机制尚不健全，生态环境保护制度尚不完善，市场化、多元化的生态补偿机制建设进展缓慢，生态环境硬约束机制尚未建立，长江保护法治进程滞后。生态环境协同治理较弱，难以有效适应全流域完整性管理的要求。

四是流域发展不平衡不协调问题突出。长江经济带横跨我国东中西部，地区发展条件差异大，基础设施、公共服务和人民生活水平的差距较大。三峡库区、中部蓄滞洪区和7个集中连片特困地区脱贫攻坚任务还很繁重。区域合作虚多实少，城市群缺乏协同，带动力不足。

五是有关方面主观能动性有待提高。中央专项安排长江经济带生态环境保护的资金规模不大，有关部门涉及长江经济带生态环境保护资金安排的统筹程度不强、整体效率不高。地方投资力度和积极性欠缺，政策性金融和开发性金融机构的支持力度不够。企业和社会资本参与度不高。干部队伍配备不足，宣传教育不到位，人才培养和交流力度也不足。

第二个问题：推动长江经济带发展需要正确把握的几个关系

现在，我国经济已由高速增长阶段转向高质

量发展阶段。新形势下，推动长江经济带发展，关键是要正确把握整体推进和重点突破、生态环境保护和经济发展、总体谋划和久久为功、破除旧动能和培育新动能、自身发展和协同发展等关系，坚持新发展理念，坚持稳中求进工作总基调，加强改革创新、战略统筹、规划引导，使长江经济带成为引领我国经济高质量发展的生力军。

第一，正确把握整体推进和重点突破的关系，全面做好长江生态环境保护修复工作。推动长江经济带发展，前提是坚持生态优先，把修复长江生态环境摆在压倒性位置，逐步解决长江生态环境透支问题。这就要从生态系统整体性和长江流域系统性着眼，统筹山水林田湖草等生态要素，实施好生态修复和环境保护工程。要坚持整体推进，增强各项措施的关联性和耦合性，防止畸重畸轻、单兵突进、顾此失彼。要坚持重点突破，在整体推进的基础上抓主要矛盾和矛盾的主要方面，采取有针对性的具体措施，努力做到全局和局部相配套、治本和治标相结合、渐进和突破相衔接，实现整体推进和重点突破相统一。

近年来,各有关方面围绕长江生态环境保护修复做了大量工作,但任务仍然十分艰巨。要再深入分析一下原因。化工污染整治和水环境治理、固体废物治理是有关联性的,抓的过程中有没有协同推进?抓湿地等重大生态修复工程时有没有先从生态系统整体性特别是从江湖关系的角度出发,从源头上查找原因,系统设计方案后再实施治理措施?我看到一份材料反映,嘉陵江是长江上游重要支流,是四川、重庆的10余座城市的重要饮用水源,生态屏障战略意义重大。但是,经过30余年开发,嘉陵江上游布局了大量采矿冶炼企业,形成了200余座尾矿库,给沿江生态带来巨大威胁。位于嘉陵江上中游分界点的一些城市反映,尽管他们坚持生态优先、加紧防治,但仍饱受防不胜防的输入型污染之痛,城区及沿江城镇几十万人口饮用水安全频频受到威胁。从这个情况可以看出,目前长江生态环境保护修复工作"谋一域"居多,"被动地"重点突破多;"谋全局"不足,“主动地”整体推进少。这就需要正确把握整体推进和重点突破的关系,立足全局,谋定而后动,力求取得明显成效。

我讲过“长江病了”,而且病得还不轻。治好“长江病”,要科学运用中医整体观,追根溯源、诊断病因、找准病根、分类施策、系统治疗。这要作为长江经济带共抓大保护、不搞大开发的先手棋。要从生态系统整体性和长江流域系统性出发,开展长江生态环境大普查,系统梳理和掌握各类生态隐患和环境风险,做好资源环境承载能力评价,对母亲河做一次大体检。要针对查找到的各类生态隐患和环境风险,按照山水林田湖草是一个生命共同体的理念,研究提出从源头上系统开展生态环境修复和保护的整体预案和行动方案,然后分类施策、重点突破,通过祛风驱寒、舒筋活血和调理脏腑、通络经脉,力求药到病除。要按照主体功能区定位,明确优化开发、重点开发、限制开发、禁止开发的空间管控单元,建立健全资源环境承载能力监测预警长效机制,做到“治未病”,让母亲河永葆生机活力。

第二，正确把握生态环境保护和经济发展的关系，探索协同推进生态优先和绿色发展新路子。推动长江经济带探索生态优先、绿色发展的新路子，关键是要处理好绿水青山和金山银山的关系。这不仅是实现可持续发展的内在要求，而且是推进现代化建设的重大原则。生态环境保护和经济发展不是矛盾对立的关系，而是辩证统一的关系。生态环境保护的成败归根到底取决于经济结构和经济发展方式。发展经济不能对资源和生态环境竭泽而渔，生态环境保护也不是舍弃经济发展而缘木求鱼，要坚持在发展中保护、在保护中发展，实现经济社会发展与人口、资源、环境相协调，使绿水青山产生巨大生态效益、经济效益、社会效益。

推动长江经济带绿色发展首先要解决思想认识问题，特别是不能把生态环境保护和经济发展割裂开来，更不能对立起来。要坚决摒弃以牺牲环境为代价换取一时经济发展的做法。有的同志对生态环境保护蕴含的潜在需求认识不清晰，对这些需求可能激发出来的供给、形成的新的增长点认识不到位，对把绿水青山转化成金山银山的路径方法探索不深入。一定要从思想认识和具体行动上来一个根本转变。

我看到新华社一篇报道反映，位于长江“九曲回肠”石首段的一家临江化工企业，产业规模居世界前三，是当地的纳税大户，但也是排污大户，严重污染问题多年难以解决，周围群众苦不堪言。这两年环保部门动真格严查，开出2700多万元的长江流域“史上最大环保罚单”，倒逼企业关闭污染严重、难以改造的生产线，投入约1亿元引进行业最先进的治污装置，不仅解决了多年的污染问题，而且推动企业实现了转型升级，一举两得。浙江丽水市多年来坚持走绿色发展道路，坚定不移保护绿水青山这个“金饭碗”，努力把绿水青山蕴含的生态产品价值转化为金山银山，生态环境质量、发展进程指数、农民收入增幅多年位居全省第一，实现了生态文明建设、脱贫攻坚、乡村振兴协同推进。

长江经济带应该走出一条生态优先、绿色发展的新路子。一是要深刻理解把握共抓大保护、不搞大开发和生态优先、绿色发展的内涵。共抓大保护和生态优先讲的是生态环境保护问题，是前提；不搞大开发和绿色发展讲的是经济发展问题，是结果；共抓大保护、不搞大开发侧重当前和策略方法；生态优先、绿色发展强调未来和方向路径，彼此是辩证统一的。二是要积极探索推广绿水青山转化为金山银山的路径，选择具备条件的地区开展生态产品价值实现机制试点，探索政府主导、企业和社会各界参与、市场化运作、可持续的生态产品价值实现路径。三是要深入实施乡村振兴战略，打好脱贫攻坚战，发挥农村生态资源丰富的优势，吸引资本、技术、人才等要素向乡村流动，把绿水青山变成金山银山，带动贫困人口增收。

第三，正确把握总体谋划和久久为功的关系，坚定不移将一张蓝图干到底。推动长江经济带发展涉及经济社会发展各领域，是一个系统工程，不可能毕其功于一役。要做好顶层设计，要有“功成不必在我”的境界和“功成必定有我”的担当，一张蓝图干到底，以钉钉子精神，脚踏实地抓成效，积小胜为大胜。

近年来，经过沿江省市和有关部门共同努力，专项治理和污染防治取得了阶段性成果，特别是非法码头整治取得明显成效。同时，要严防死灰复燃。有媒体报道，2015 年启动的长江干线非法码头、非法采砂专项整治取得良好成效，但近期由于建筑市场对砂石的需求旺盛，长江非法码头反弹压力较大。有的部门在长时间高压监管后有所松懈，部分非法码头业主则偷偷摸摸重起炉灶，企图复建开工。非法码头和非法采砂治理成果来之不易，必须建立长效机制，坚决防止反弹。我去四川调研时，看到天府新区生态环境很好，要取得这样的成效是需要总体谋划、久久为功的。我了解到，2016 年我在重庆座谈会上提到的府河成都段是天府新区的重要生态廊道，为了治理严重污染问题，当地政府在做好顶层设计的基础上，按照一年治污、两年筑景、三年成势的时序要求，推动截污、清淤、补水同向发力，并采取景观提升、长效管理等措施，计划在今年 5 月底前实现干流和重要支流无污水下河，最终彻底解决河段严重污染问题。府河黄龙溪国控断面 2015—2016 年总体水质为劣 5 类，2017 年总体水质为 5 类，今年前两个月均为 4 类，整体趋势是不断好转的。所以说，做好顶层设计后，只要一锤接着一锤敲，必然大有成效。

当前和今后一个时期，要深入推进《长江经济带发展规划纲要》贯彻落实，结合实施情况及国内外发展环境新变化，组织开展规划纲要中期评估，按照新形势新要求调整完善规划内容。要按照"多规合一"的要求，在开展资源环境承载能力和国土空间开发适宜性评价的基础上，抓紧完成长江经济带生态保护红线、永久基本农田、城镇开发边界三条控制线划定工作，科学谋划国土空间开发保护格局，建立健全国土空间管控机制，以空间规划统领水资源利用、水污染防治、岸线使用、航运发展等方面空间利用任务，促进经济社会发展格局、城镇空间布局、产业结构调整与资源环境承载能力相适应，做好同建立负面清单管理制度的衔接协调，确保形成整体顶层合力。要对实现既定目标制定明确的时间表、路线图，稳扎稳打，分步推进。

第四，正确把握破除旧动能和培育新动能的关系，推动长江经济带建设现代化经济体系。发展动力决定发展速度、效能、可持续性。要扎实推进供给侧结构性改革，推动长江经济带发展动力转换，建设现代化经济体系。长江沿岸长期积累的传统落后产能体量很大、风险很多，动能疲软，沿袭传统发展模式和路径的惯性巨大。但是，如果不能积极稳妥化解这些旧动能，变革创新传统发展模式和路径，不仅会挤压和阻滞新动能培育壮大，而且处理不好还会引发“黑天鹅”事件、“灰犀牛”事件。旧的不去，新的不来。推动长江经济带高质量发展要以壮士断腕、刮骨疗伤的决心，积极稳妥腾退化解旧动能，破除无效供给，彻底摒弃以投资和要素投入为主导的老路，为新动能发展创造条件、留出空间，进而致力于培育发展先进产能，增加有效供给，加快形成新的产业集群，孕育更多吃得少、产蛋多、飞得远的好“鸟”，实现腾笼换鸟、凤凰涅槃。

长江经济带集聚的人口和创造的地区生产总值均占全国40%以上，进出口总额约占全国40%，是我国经济中心所在、活力所在。同时也要看到，长期以来长江沿岸重化工业高密度布局，是我国重化工产业的集聚区。有媒体多次报道，沿江“化工围江”问题突出，特别是磷化工污染问题，从磷矿开采到磷化工企业加工直至化工废弃物生成，整个产业链条都成为长江污染隐忧，加之地方政府担心整治力度过大影响财政收入，进而影响民生投入等，一直对化工企业监管有畏难情绪，造成长江支流及干流总磷污染日益严重。2016年以来，湖北宜昌市意识到“化工围江”对制约城市发展的严重性，下定决心，制定化工污染整治工作方案，一手抓淘汰落后产能和化解化工过剩产能，推进沿江 134 家化工企业“关、转、搬”，防范化工污染风险；另一手利用旧动能腾退出的新空间培育精细化工产能，引导化工产业向高端发展，经济发展呈现出新面貌。2017 年，全市单位生产总值能耗下降 7.14%、水耗下降 13.7%，主要河流水质总体良好，PM_{10}、$PM_{2.5}$ 浓度分别下降 9.3%、6.5%，地区生产总值保持稳定增长。实践证明，只要思路对头、扎实推进，实现旧动能和新动能的转换是大有可为的。

推动长江经济带高质量发展，建设现代化经济体系，要坚持质量第一、效益优先的要求，推动质量变革、效率变革、动力变革，加快建设实体经济、科技创新、现代金融、人力资源协同发展的产业体系，构建市场机制有效、微观主体有活力、宏观调控有度的经济体制。这其中，实现动力变革、加快动力转换是重要一环。正确把握破除旧动能和培育新动能的辩证关系，既要紧盯经济发展新阶段、科技发展新前沿，毫不动摇把培育发展新动能作为打造竞争新优势的重要抓手，又要坚定不移把破除旧动能作为增添发展新动能、厚植整体实力的重要内容，积极打造新的经济增长极。要着力实施创新驱动发展战略，把长江经济带得天独厚的科研优势、人才优势转化为发展优势。要下大气力抓好落后产能淘汰关停，采取提高环保标准、加大执法力度等多种手段倒逼产业转型升级和高质量发展。要在综合立体交通走廊、新型城镇化、对内对外开放等方面寻找新的突破口，协同增强长江经济带发展动力。长江经济带是"一带一路"在国内的主要交汇地带，应该统筹沿海、沿江、沿边和内陆开放，实现同"一带一路"建设有机融合，培育国际经济合作竞争新优势。

第五，正确把握自身发展和协同发展的关系，努力将长江经济带打造成为有机融合的高效经济体。长江经济带作为流域经济，涉及水、路、港、岸、产、城等多个方面，要运用系统论的方法，正确把握自身发展和协同发展的关系。长江经济带的各个地区、每个城市都应该也必须有推动自身发展的意愿，这无可厚非，但在各自发展过程中一定要从整体出发，树立“一盘棋”思想，把自身发展放到协同发展的大局之中，实现错位发展、协调发展、有机融合，形成整体合力。

目前看，长江经济带发展无序低效竞争、产业同构等问题仍然非常突出，一些地方在实际工作中出现圈地盘、抢资源、条块分割、无序竞争的情况，还存在抢占发展资源、缺乏协作精神、破坏产业链条的连接和延伸等问题。我经常讲，我们国家物流费用成本偏高，这其中就有运输效率不高问题，究其原因，主要是各种运输方式各自为政发展，各种交通运输方式衔接协调不畅、彼此结构不平衡不合理导致的。沿长江通道集合了各种类型的交通运输方式，要注意加强衔接协调，提高整体效率。比如，一直以来严重制约长江航运的三峡船闸“肠梗阻”问题，能不能从综合交通运输体系全局出发找出解决问题的有效办法？有的专家提出以建设沿江重载铁路的办法一劳永逸破解这个问题，是否可行、能否实现，要抓紧论证确定。再比如，沿江三大城市群在各自发展过程中能不能结合所在的区位条件、资源禀赋、经济基础，放在长江经济带高质量发展“一盘棋”中研究提出差异化协同发展的新目标新举措？各大中小城市在明确自我发展定位和方向时能不能立足整个城市群的发展定位和方向，找到自己错位发展的重点方向，解决好同质化发展的问题？这些问题都有必要认真研究思考。推动好一个庞大集合体的发展，一定要处理好自身发展和协同发展的关系，首先要解决思想认识问题，然后再从体制机制和政策举措方面下功夫，做好区域协调发展“一盘棋”这篇大文章。

这里，我点几个问题。一是要深刻理解实施区域协调发展战略的要义，各地区要根据主体功能区定位，按照政策精准化、措施精细化、协调机制化的要求，完整准确落实区域协调发展战略，推动实现基本公共服务均等化，基础设施通达程度比较均衡，人民生活水平有较大提高。二是推动长江经济带发展领导小组要更好发挥统领作用，在生态环境、产业空间布局、港口岸线开发利用、水资源综合利用等方面明确要什么、弃什么、禁什么、干什么，在这个基础上统筹沿江各地积极性。三是要完善省际协商合作机制，协调解决跨区域基础设施互联互通、流域管理统筹协调的重大问题，如各种交通运输方式怎样统筹协调发展、降低运输成本、提高综合运输效益，如何优化已有岸线使用效率、破解沿江工业和港口岸线无序发展问题，等等。四是要简政放权，清理阻碍要素合理流动的地方性政策法规，清除市场壁垒，推动劳动力、资本、技术等要素跨区域自由流动和优化配置。要探索一些财税体制创新安排，引入政府间协商议价机制，处理好本地利益和区域利益的关系。

第三个问题：加大推动长江经济带发展的工作力度

党的十九大对推动长江经济带发展作出了总

体部署，中央经济工作会议作出了安排。要按照这些部署和安排，坚定信心，勇于担当，抓铁有痕、踏石留印，把工作抓实抓好。

第一，加强组织领导。各级党委和政府领导同志特别是党政一把手要增强“四个意识”，落实领导责任制，决不允许搞上有政策、下有对策，更不能搞选择性执行。这是对是否同党中央保持高度一致的重大考验。推动长江经济带发展领导小组要统一指导长江经济带发展战略实施，统筹协调跨地区跨部门重大事项，督促检查重要工作落实情况，对重点任务和重大政策要铆实责任、传导压力、强化考核。各有关部门要履职尽责、主动对表、积极作为，及时帮助地方解决工作中遇到的问题。沿江11省市党委和政府要加强领导，充实工作专班，压实责任、改进作风，确保工作落实到位。

第二，调动各方力量。“人心齐，泰山移。”推动长江经济带发展不仅仅是沿江各地党委和政府的责任，也是全社会的共同事业，要加快形成全社会共同参与的共抓大保护、不搞大开发格局，更加有效地动员和凝聚各方面力量。要强化上中下游互动协作，下游地区不仅要出钱出技术，更要推动绿色产业合作，推动下游地区人才、资金、技术向中上游地区流动。要鼓励支持各类企业、社会组织参与长江经济带发展，加大人力、物力、财力等方面投入。三峡集团要发挥好应有作用，积极参与长江经济带生态修复和环境保护建设。

第三，强化体制机制。要落实中央统筹、省负总责、市县抓落实的管理体制。中央层面要做好顶层设计，主要是管两头，一头是在政策、资金等方面为地方创造条件，另一头是加强全流域、跨区域的战略性事务统筹协调和督促检查。省的层面主要是做到承上启下，把党中央大政方针和决策部署转化为实施方案，加强指导和督导，推动工作开展。市县层面主要是因地制宜，推动工作落地生根。

第四，激发内生动力。要加强对有关部门、沿江省市、相关企业领导干部的专题培训，提高坚持生态优先、绿色发展的思想认识，形成共抓大保护、不搞大开发的行动自觉。要落实政府主体责任，强化企业责任，按照谁污染、谁治理的原则，把生态环境破坏的外部成本内部化，激励和倒逼企业自发推动转型升级。要做好宣传舆论引导工作，营造崇尚生态文明的良好氛围。要发挥广大人民群众积极性、主动性、创造性，共同守护好母亲河。

同志们！推动长江经济带发展，既是一场攻坚战，更是一场持久战，我们要坚定信心、咬定目标，苦干实干、久久为功，为实施好长江经济带发展战略而共同奋斗！

图书在版编目(CIP)数据

在深入推动长江经济带发展座谈会上的讲话/习近平 著. —北京:
人民出版社,2018.6
ISBN 978-7-01-019497-4

Ⅰ.①在… Ⅱ.①习… Ⅲ.①习近平-讲话-学习参考资料②长江经济带-区域经济发展-学习参考资料 Ⅳ.①D2-0②F127.5

中国版本图书馆 CIP 数据核字(2018)第 129813 号

(RMC-ZJDXI-064-20180426)

在深入推动长江经济带发展座谈会上的讲话

ZAI SHENRU TUIDONG CHANGJIANG JINGJIDAI FAZHAN
ZUOTANHUI SHANG DE JIANGHUA

(2018 年 4 月 26 日)

习 近 平

人民出版社 出版发行
(100706 北京市东城区隆福寺街 99 号)

北京新华印刷有限公司印刷 新华书店经销

2018 年 6 月第 1 版 2018 年 6 月北京第 1 次印刷
开本:880 毫米×1230 毫米 1/32 印张:1
字数:10 千字

ISBN 978-7-01-019497-4 定价:2.60 元

邮购地址 100706 北京市东城区隆福寺街 99 号
人民东方图书销售中心 电话 (010)65250042 65289539